FANTAISIE EN PHOTOS

Perdu
dans les bois

Carl R. Sams II et Jean Stoick
Texte français d'Hélène Pilotto

Remerciements

Nous tenons à remercier notre loyale équipe : Karen McDiarmid, Becky Ferguson,
Bruce Montagne, Margaret et Tom Parmenter, Jennifer Bush, Dawn Clements et Mark Halsey
pour avoir participé à la création de ce livre;
Carol Henson pour l'édition;
Laura Sams, Rob Sams et Douglas Peterson pour leurs intéressantes suggestions;
Greg Dunn, Mark Hoppstock, Deb Halsey, Tyler Evert et Heiner Hertling pour leur contribution artistique;
Rob Mies, Kim Williams et leurs filles, Georgia Sky et Madison Autumn, pour leurs idées et leur patience;
Danny, Sue et Nancy Boyd pour leurs suggestions et leur contribution vidéo.

Un merci particulier à K Halpin Weston et à Rick et Carol Bearss. La publication de ce livre
n'aurait pas été possible sans leur aide. K Weston est un ange descendu du ciel pour prendre soin
de nos animaux sauvages. Elle est une véritable source d'inspiration.

Catalogage avant publication de Bibliothèque
et Archives Canada

Sams, Carl R.
Perdu dans les bois : fantaisie en photos /
Carl R. Sams et Jean Stoick;
texte français d'Hélène Pilotto.

Traduction de : Lost in the woods.
ISBN 978-0-545-99875-8

1. Faune forestière--Romans, nouvelles, etc. pour la jeunesse.
2. Cerf de Virginie--Romans, nouvelles, etc. pour la jeunesse.
3. Faune forestière--Ouvrages illustrés. 4. Livres d'images
pour enfants.

I. Stoick, Jean II. Pilotto, Hélène III. Titre.

PZ26.3.S295Pe 2007   j813'.54   C2007-904052-7

Édition publiée par les Éditions Scholastic,
604, rue King Ouest, Toronto (Ontario) M5V 1E1,
avec la permission de Carl R. Sams II Photography,
2675 General Motors Rd., Milford, MI 48380, É.-U.

5 4 3 2 1   Imprimé au Canada   07 08 09 10 11

Direction artistique : Karen McDiarmid

À tous ceux qui
veillent à la protection
des lieux sauvages
et qui se soucient
de la nature.

C'est le printemps. Mille grenouilles coassent dans l'étang.

Mais leur chant joyeux cesse dès que le jour se lève.

Un petit vient d'apparaître dans les bois.
Il est arrivé ce matin, alors que le soleil
n'avait pas encore atteint la cime des arbres.

Il dort paisiblement dans les herbes hautes,
à l'orée du bois, là où se dressent
les premiers arbres.

– Debout!
Debout!
Debout!
crie le carouge
à épaulettes.

– Chuuuut!
   Chuuuut!
      chuchote la souris.

Je crois qu'il est perdu.
Laisse-le dormir.

– Ça fait un moment que je t'observe.
Tu es seul depuis longtemps,
déclare le tamia rayé
en fourrant un autre gland
dans ses grosses abajoues.

Alors, il paraît que tu es perdu?

— Maman m'a dit de l'attendre.
De l'attendre juste ici, murmure le faon.
Elle va revenir.

– Aaaah!
C'est donc toi le nouveau-né
perdu dans les bois!
s'exclame le cardinal.

Je vais t'aider.

Avec mon plumage rouge vif,
il me suffit de voler
à la cime des arbres
pour donner l'alerte.

– Je ne suis pas perdu,
proteste le faon
sans même lever les yeux.
Maman viendra.
Elle me l'a promis.

Le soleil poursuit sa course dans le ciel et assèche
en passant les dernières gouttes de rosée.

Le faon se tient debout, seul, dans l'ombre des grands bois.

« Dégourdis tes pattes pour les renforcer,
mais ne t'éloigne pas trop. »

Les oisons jargonnent tous en même temps.

— D'où vient-il?

— Que fait-il par ici?

— Où est sa maman?

— Avez-vous vu ses oreilles?

Elles sont énoooormes!

— Est-il dangereux?

– Où est ta maman, petit?
criaille leur mère,
la bernache.

– Elle a dit qu'elle reviendrait…
et elle va revenir,
répond le faon effarouché en se tournant
vers les bois qui lui semblent
encore plus grands et
plus inquiétants qu'avant.

« Suis-je allé trop loin? »

Tout à coup,
le vent apporte des bruits
de voix et de rires enjoués.

Aussitôt, les oiseaux
cessent de chanter.

Le faon, lui, se cache
dans les herbes hautes
et se fait tout petit.

« Quand le danger te guette, reste immobile.
Complètement immobile.

Ne bouge pas.
Ni d'une oreille ni d'un cil.
Laisse les taches sur ton dos faire leur travail et toi,
ne fais pas un bruit.

Souviens-toi que les nouveau-nés
n'ont pas d'odeur.
Le nez des prédateurs
ne peut pas te repérer. »

– Bien joué!
claironne une petite voix
sortie de nulle part.

– Je t'entends mais
je ne te vois pas, dit le faon.

– C'est parce que je suis la reine
du camouflage, fanfaronne la rainette verte.
Je suis verte.
Alors, je trouve du vert et... hop!
je deviens invisible!

– Regardez comme il se cache bien!
s'exclame la sauterelle verte
du haut de sa feuille.
Il a tout compris.
Maman biche serait fière de lui.

— Tu-tu-tut! s'écrie l'écureuil.

Croyez-vous qu'il a faim?

— Tu-tu-tut! Pas de problème, pas de problème.

J'en ai caché ici. J'en ai caché là.

Des centaines de glands.

Pour des années à venir.

Il m'arrive de partager, vous savez!

– Oui! dit la libellule
en battant des ailes.
Je survole le pré aussi vite
que possible – zoum-zoum! – et je reviens
avec le dîner!

– Bonne idée, répond la tortue.
Je t'attends ici.

– Hou! hou!
Que vois-je?
ulule la petite nyctale.
Quelqu'un passe
dans mes bois.
On approche!
On approche!

– Qui approche?
Où ça?
brame le faon,
craintif.

Soudain,
une ombre vient
masquer le soleil.

Le faon se retourne
et tombe nez à nez...
avec sa maman,
qui le couve
de ses grands yeux bruns.
— Je savais que tu viendrais!

— Souviens-toi...
lui dit-elle en léchant
son doux pelage tacheté.
Une fois de plus,
le faon ouvre grand
ses oreilles pour écouter
les sages conseils
de sa maman.

— Les nouveau-nés
n'ont pas
d'odeur...

À présent, je dois partir.
Je ne voudrais pas que les prédateurs te trouvent.
Dégourdis tes pattes pour les renforcer,
mais ne t'éloigne pas trop.
Bientôt, tu pourras me suivre.
Bientôt, ce sera ton tour.

Le petit faon s'assoupit
en se répétant
        les paroles
            de sa maman.

Puis, le soleil chasse la nuit,
comme il l'a fait
si souvent déjà.

Dans le pré, la sturnelle
pousse son chant matinal.

Les jours passent et le petit faon
grandit, comme le font tous les autres bébés
animaux de la forêt.

– Je peux...
Je peux y arriver!
halète le raton laveur déterminé,
en s'agrippant de son mieux pour ne pas tomber.

Je... Je peux y arriver!

– Que fais-tu?
　　interroge le faon.

– Je grimpe aux arbres.
　　Je suis agile, tu sais,
　　　　se vante le petit raton laveur.
　　Et toi?
　　Tu grimpes aussi aux arbres?

– Oh! je ne crois pas
　　que je peux grimper aux arbres,
　　　　répond le faon, mais mes pattes
sont de plus en plus robustes.

– Demain, c'est le jour le plus important
de ma vie-cui-cui,
pépie la petite mésange.
Demain, je quitte le nid-cui-cui!

– Que fais-tu?
répète le faon
en plissant
le nez.

– Je quitte le nid-cui-cui!
Je déploie mes ailes et je m'envole!
J'ai encore besoin de m'exercer un peu, mais après,
j'irai rejoindre les grands oiseaux là-haut.
Un jour très important, pardi-cui-cui!

Et toi, quand t'envoles-tu?

– Oh! je ne crois pas que je suis capable de voler,
répond le faon, incertain, mais je sais que mon tour s'en vient.

– Se pourrait-il…
Serait-ce enfin son tour?
bredouille le
raton laveur
du haut de son perchoir.

– Quoi?
– Qui?
– Quand?
Les oisons bombardent leur mère
de questions.

– C'est son tour!
C'est son tour!
clame le carouge à épaulettes.

– Tu es prêt? demande maman biche. Il y a tant à voir!

– Oui, je suis prêt! C'est mon tour!

FIN

« Je savais bien
qu'il n'était pas
perdu! »

papillon tigré

crapaud

sauterelle

libellule

tamia rayé

chenille

lapin à queue blanche

spermophile rayé

souris à pattes blanches

Peux-tu m'aider
à retrouver mes amis
dispersés au fil des pages?
Ils sont tous…
Perdus dans les bois!